Gallimard Jeunesse / Giboulées sous la direction de Colline Faure-Poirée

FSC

© Éditions Gallimard, 1994
Premier dépôt légal : octobre 1994
Dépôt légal : juillet 2011
Numéro d'édition : 233878
ISBN : 978-2-07-058569-4
Loi n°49956 du 16 juillet 1949
sur les publications destinées à la jeunesse
Imprimé en France par Jean-Lamour

Camille la Chenille

Antoon Krings

GALLIMARD JEUNESSE / GiBOULÉES

Il était une fois, dans un jardin enchanté, une petite chenille plutôt dodue qui s'appelait Camille. Insouciantes, Camille et ses sœurs grignotaient du matin au soir des feuilles bien vertes et bien croquantes.

Grigno grigno grignotons
Papillons nous deviendrons
Grigno grigno grignotons
Bientôt nous nous envolerons

Et toutes s'en donnaient à cœur joie.

Cette vie de gourmande rampante dura un certain temps, jusqu'au jour où les chenilles se mirent à chercher chacune de leur côté un endroit où se poser. Camille bâtit sa maisonnette au creux d'une large feuille qu'elle trouva fort à son goût. «Ainsi, si la faim me tenaille, je n'aurai pas à aller bien loin», pensa-t-elle.

Puis elle entra et s'enferma dans son nouveau logis. Elle s'endormit un peu et rêva qu'elle s'envolait.
Mais, hélas...

Quand elle sortit de sa maisonnette, elle ne portait pas d'ailes, et son apparence n'avait en rien changé. Camille tourna la tête dans un sens, puis dans l'autre, et dit avec un long soupir de tristesse : « Pourquoi ? Pour quelle raison ne suis-je pas un papillon ? »

Notre petite chenille, qui avait bien
besoin de réconfort, s'en alla voir
ses sœurs et se mit à les appeler.
C'est alors qu'elle vit voltiger dans le
ciel une multitude de papillons.
Ils s'approchèrent de Camille et
tournoyèrent autour d'elle, fiers de
montrer leurs ailes peintes
de couleurs vives.

Ils se trouvaient si beaux qu'ils
ne reconnurent pas leur propre sœur.
Pire, en voyant la pauvrette,
ils s'exclamèrent en se moquant :
« Quel ennui ce doit être de devoir
trimballer tant de pattes et de ne
même pas pouvoir voler ! » Sur ces
mots, ils s'éloignèrent pour reprendre
aussitôt leurs jeux aériens.

Longuement, Camille les suivit
du regard et ses yeux se mouillèrent.
Tout l'été, elle vécut seule. Parfois, elle
sortait de sa maisonnette et grignotait
en regardant tristement vers le ciel.

Ainsi passèrent les jours, les mois, les saisons. Mais vint l'hiver, l'hiver si long, si froid. Les papillons, qui avaient bien dansé, s'envolèrent vers des pays plus chauds, loin des terres glacées. Bientôt, les fleurs puis les arbres se flétrirent. La grande feuille sur laquelle Camille avait vécu passa du jaune au brun, et se recroquevilla avant de tomber.

Quand il se mit à neiger, Camille s'abrita sagement et, de sa fenêtre, regarda le merveilleux spectacle, jusqu'à ce que sa maisonnette fût entièrement recouverte. Alors elle ferma les yeux et rêva qu'elle s'envolait…

Mais, cette fois-ci, le rêve devint
réalité. Lorsque Camille s'éveilla, elle
agitait gracieusement des ailes
de papillon et s'éleva doucement dans
le ciel. La neige, qui tourbillonnait
autour d'elle, l'invita à danser et ils
valsèrent jusqu'au soir.

Puis Camille s'en alla couvrir de baisers les perce-neige et les roses de Noël avant de s'endormir sur l'une d'entre elles.

Si vous êtes bien sages, vous verrez peut-être un papillon multicolore et vagabond danser autour de votre sapin illuminé. Ne cherchez pas à l'attraper, il se posera sur la plus haute branche où se trouve l'étoile dorée, pour y accrocher ses petits cadeaux.